D1064152

答案案之书

THE BOOK OF ANSWERS

保罗 著

百花洲文艺出版社
BAIHUAZHOU LITERATURE AND ART PRESS

图书在版编目（CIP）数据

答案之书 / 保罗著 . -- 南昌：百花洲文艺出版社，
2016.6

ISBN 978-7-5500-1771-9

Ⅰ.①答… Ⅱ.①保… Ⅲ.①心理调节—通俗读物
Ⅳ.① R395.6-49

中国版本图书馆 CIP 数据核字 (2016) 第 113786 号

出 版 者	百花洲文艺出版社
社　　址	江西省南昌市红谷滩世贸路898号博能中心20楼　邮编：330038
电　　话	0791-86895108（发行热线）0791-86894790（编辑热线）
网　　址	http:www.bhzwy.com
E-mail	bhz@bhzwy.com
书　　名	答案之书
作　　者	保　罗
出 版 人	姚雪雪
特约监制	亦　心
责任编辑	王丰林　郑盼盼
特约策划	亦　心
封面设计	Lol.V
经　　销	全国新华书店
印　　刷	北京旭丰源印刷技术有限公司
开　　本	1/40　889mm × 1194mm
印　　张	16
字　　数	10千字
版　　次	2016年6月第1版
印　　次	2016年6月第1次印刷
定　　价	38.00元
书　　号	978-7-5500-1771-9

赣版权登字：05-2016-155

版权所有，侵权必究
图书若有印装错误可向承印厂调换

《 答 案 之 书 》 使 用 说 明

1. 把书放在桌上，闭上眼睛。

2. 用 5 至 10 秒钟的时间集中思考你的问题。例如："他
   喜欢我吗？"或"我需要换个工作吗？"

3. 在想象或说出你的问题的同时（每次只能有一个问题），
   一只手放在这本书的封面上，从后往前，翻动书页的边缘。

4. 在你感觉时间正确的时候，打开书，你要寻找的答案就
   在那里。

5. 遇到任何问题，你都可以翻开它。

打开它
找到你的人生解答。

别 失 望

不必为你无法控制
的事情而担心

不要忘记微笑

阳 光

挥手道别

你失去的某天会以
不同的方式归还于你

你 的 状 态 很 不 对

这是个麻烦

你 或 许 需 要 突 破

放弃

你 唯 一 能 做 的
只 有 把 握 现 在

学 会 珍 惜

改变心情

一 直 走 下 去

优 秀

坚 持 不 懈 的 努 力

不适合

愉 快 生 活

终点

换 一 个 方 向

岁 月 静 好

放 轻 松 ，
这 很 简 单

早 点 儿 开 始

不 要 后 悔

也许会迟到

沉 默

好像平凡了点

糊 涂 一 点 更 好

善 待 自 己

放手

呼 吸 一 下 新 鲜 空 气

没 有 答 案

感恩，
运气会越来越好

原 谅

自 我 欣 赏

A

复杂的事情简单做

学 会 自 己 保 护 自 己

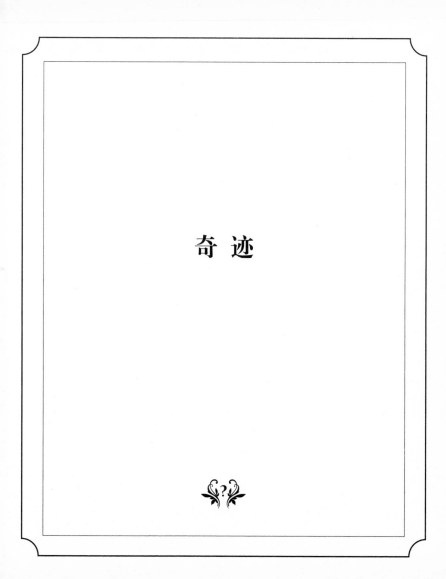

奇 迹

给自己一个肯定

甜

摆 正 心 态

种下满足
收获幸福

把 握 现 在

学 会 好 奇

最美丽的一天

彼 岸

停　止

坚 强

永恒

常常是最后一把钥匙
打开了神殿门

不 要 刻 意 隐 藏

停 止 悲 伤

不要刻意压抑

背 不 动 的 就 放 下

不 要 怕

安　静

想 念

驻足静立

活 下 去

去 爱

回　家

未 解 之 谜

相　遇

陌 生 人

A

告 别

本 能

取　暖

重 逢

不 要 去 忘 记

自 信 起 来 吧

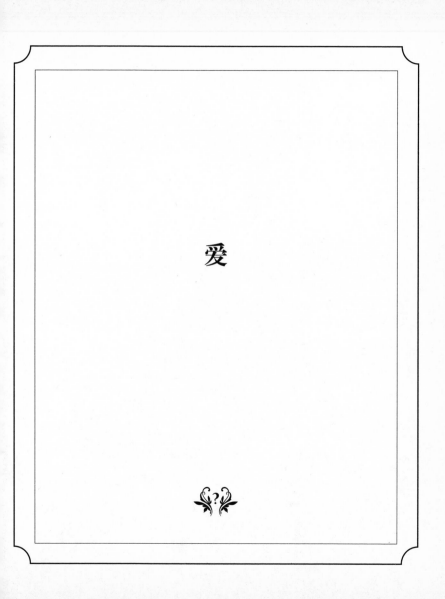

爱

接 受 那 些 消 失 的

到 此 为 止

一步之遥

保存

虚 无 的 关 系

时间有限

迷 失 的 世 界

慢下来

可 怕

了不起

一 个 正 在 到 来 的 晴 天

好 天 气

旧 梦

挽 留

逆水行舟

被 排 挤

可以期待的未来

平平安安

挥 别 错 的

朴 素

成 为 了 事 实

萌　芽

有 一 些 重 要 的 事

让你泪流满脸的

不知所措

给 人 依 赖

对未知前途的期盼

用平淡的心态去追求

一 切 皆 有 可 能

控制自己的情绪

一　切　顺　其　自　然

一条没有鲜花的道路

得不到别人的认同

暂且不要判断

不要一成不变

学 会 认 错

你 祈 求 的 一 切 顺 利

享受全心全意的付出

站 在 了 最 重 要 的 地 方

捕 风 捉 影

欢 天 喜 地

轮 回

你 无 法 继 续 沉 睡

得 到 了 多 数 的 支 持

十分好的预感

背叛

盛 开

学 会 改 变 什 么

最 划 算 的 交 换

退 后 一 厘 米

这 真 是 一 个
奇 怪 的 问 题

用 力 活 着

成 长

最好的事情正要发生

没 有 什 么 是 对 的

堕 落

多 余

必须努力奔跑起来

会 有 人 陪 着 你

驾驭

站 起 来 去 战 斗

不要看轻别人

多 读 一 本 书

下 一 页 才 是
你 的 人 生 答 案

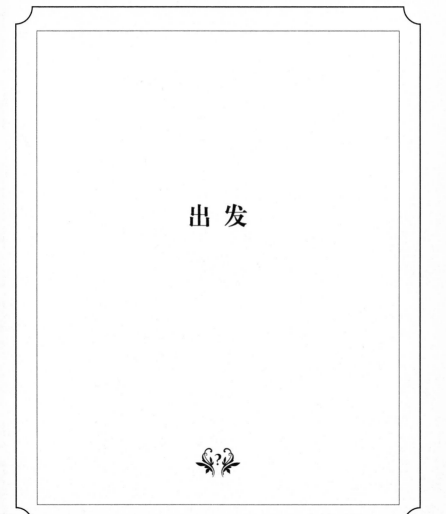

出 发

差 不 多 得 了

不要给人添麻烦

A

一 个 人 的 细 水 长 流

左 边

有 人 浪 费 了 你 的 时 间

最后什么都没改变

对 ， 去 吧 ！

扔掉这些东西

有些人开始慌乱

找回自己

重 生

慢些，我们就会更快

一 个 人 的 朝 圣

孤 单

下 一 个 天 亮

独 角 戏

平凡之路

直面残酷

泡 沫

你 大 概 会 受 点 伤

远 行

一 直 在 找 什 么

回头看看

唤醒沉睡的你

也 许 会 有 好 转

烦 恼 快 要 消 失 了

一 无 所 有

显 得 有 些 唐 突

迷 人 的 危 险

结 束 倒 计 时

第 二 次 被 伤 害 的 机 会

并 不 会 让 你 高 兴

没 什 么 放 不 下

等　待

永远不会愈合的伤口

骗 不 到 自 己

悄 悄 躲 开

一场完美的悲剧

寻 寻 觅 觅

不 要 做 出 任 何 决 定

开心的肯定

浪 费 光 阴

保密

A

被 唾 弃 的 决 定

停 止 向 前

有点儿意思

谢 谢

再也不要见

完美时刻

会让你痛苦的

僵持不下

必 不 可 少

对 不 起

试 着 慷 慨 一 点 儿

这 不 是 能 犹 豫 的 事 儿

同　意

试 着 安 静 一 会 儿

默默无闻

虚 空

戒掉过分的急躁

不 要 隐 藏 起 来

其 实 大 家 都 知 道

会 被 一 直 依 赖 的

全部给它

坚 持 了 不 该 坚 持 的

你 好 像 舍 不 得

有点儿心疼

轻而易举的伤害

卑微的等待

你 有 必 要 傻 一 点

一 成 不 变

你 会 忘 记 它

禁 言

只 是 一 场 梦

你要勇敢的离开

拼凑不了的昨天

容易被操控

尽你最大的能力

去 忘 记

大家好像都不认同

认 真 起 来

值 得 去 做 的 事

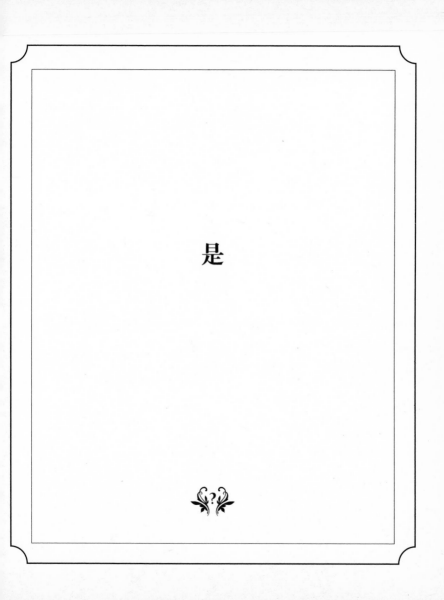

是

白 日 梦

转 个 身 忘 记 吧

你 可 能 会 比 较 悲 伤

这绝对是个好主意

好 的 指 引

不 是

充满未知的迷惑

光 明 的

幼 稚 又 可 笑

你 很 幸 运

机会就在眼前

不 如 忘 掉 这 个 问 题

又干净又明亮

专 注 一 点

殊 途 同 归

背道而驰

小 迷 糊

你 在 开 玩 笑 吗

别 难 过
你 是 最 棒 的

吃 点 东 西
冷 静 一 下

这 个 大 概 会 让 你 哭 泣

高兴起来吧
你这么厉害

别 总 想 着 过 去 了

捍 卫 它

无 谓 的 徘 徊

将 要 被 击 溃

不 必 耿 耿 于 怀

放在心里吧
这样比较好点

不用伪装到面目全非

别 压 抑 自 己 的 天 性

一 个 人 安 安 静 静
待 一 会 儿

既然认准这条路，
就不要去想走多久

大 哭 一 场 会 好 受 点

总会慢慢淡去的

明 天 就 会 有
新 鲜 事 儿 发 生

这事情要靠缘分

太 糟 糕 了

这 是 起 跑 线

没事，有我在

不要把所有表情
都写在脸上

别 人 会 对 你 苦 笑

好 像 会 很 累

有 人 撑 着 你 向 前

你需要的只是勇气

不 甘 心 的 话
就 努 力 争 取 吧

无 条 件 的 付 出

试 着 更 快 一 些

这是昂贵的礼物

不 能 永 远 一 成 不 变

甜 蜜

会 有 一 些 困 难

等待下一个
故事的发生

试着面对自己
真实的想法

这 就 是 结 局

心 会 冷 掉

愿 意 并 且 相 信

守护

将 要 奔 赴 一 场
未 知 的 路 程

隐　忍

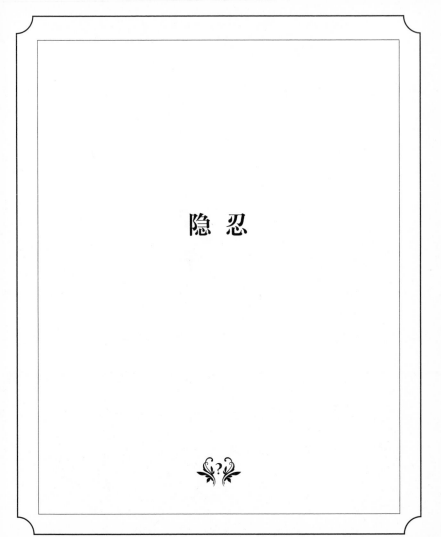

不必要的退让

这 大 概 会 让 你
有 点 寂 寞

形同陌路

不 要 轻 易 去 相 信

可 能 会 很 累

有 些 人 选 择 了 离 开

会 让 周 围 的 人
感 觉 到 温 暖

会 有 一 个
风 光 明 媚 的 未 来

大 概 要 多 想 一 会 儿

値 得 肯 定

好像会有很大的麻烦

注 意 一 下 周 围

你 将 会 有 好 的 运 气

大 概 吧

漂 亮

你 可 能 会 失 去 一 些 东 西

看见的都不是真的

苦　涩

看 向 未 来

笑

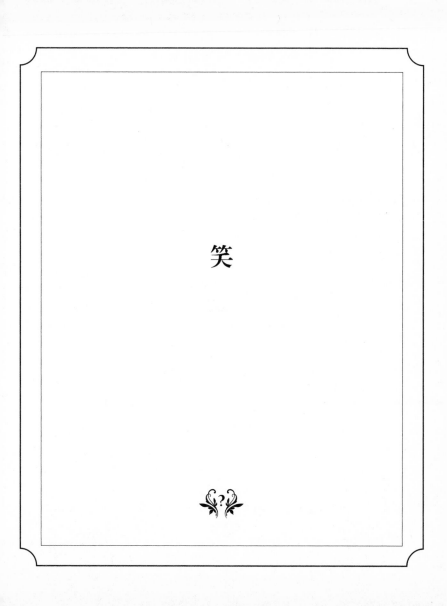

接受的终将会接受

保护你的温暖所在

这 就 是 命

未 来 会 变 得 特 别 繁 忙

居 心 叵 测

这简直太有趣了

胜 券 在 握

突 如 其 来 的 幸 福

平分秋色

非 常 融 洽

按 照 一 定 的 规 律
到 达 了 终 点

平衡

残 留 的 遗 憾

拜 拜

特别的见解

最 特 别 的 幸 运

值 得 喝 一 杯

并 不 确 定 真 伪

使人警惕起来

空　想